KB077234

헬라어 쓰기성경

Πρός Γαλατας

- 갈라디아서 -

언약성경연구소

케타브 프로젝트: 헬라어 쓰기성경 – 갈라디아서

발 행 | 2024년 2월 9일
저 자 | 이학재
발행인 | 최현기
편집 · 디자인 | 허동보

등록번호 | 제399-2010-000013호
발행처 | 홀리북클럽
주 소 | 경기도 남양주시 진접읍 내각2로12 (070-4126-3496)

ISBN | 979-11-6107-050-6
가 격 | 12,000원

 Project

헬라어쓰기성경

Πρός Γαλατας

- 갈라디아서 -

영·한·그리스어
대역대조 쓰기성경

언약성경연구소

* 본 책에는맛싸성경(한글), 개역한글(한글), Westcott-Hort Greek NT(헬라어), NET(영어) 성경 역본이 사용되었으며,
KoPub 바탕체, KoPub 돋움체, Noto Serif Display, 세방체 폰트가 사용되었습니다.
헬라어 알파벳표와 모음표는 『왕초보 헬라어 펜습자』(허동보 저) 저자의 동의를 받고 첨부하였습니다.
맛싸성경3은 저자 이학재 교수가 원문성경에서 직접 번역한 번역물로 번역 저작물이 저작권협회에 접수된 개인번역입니다.

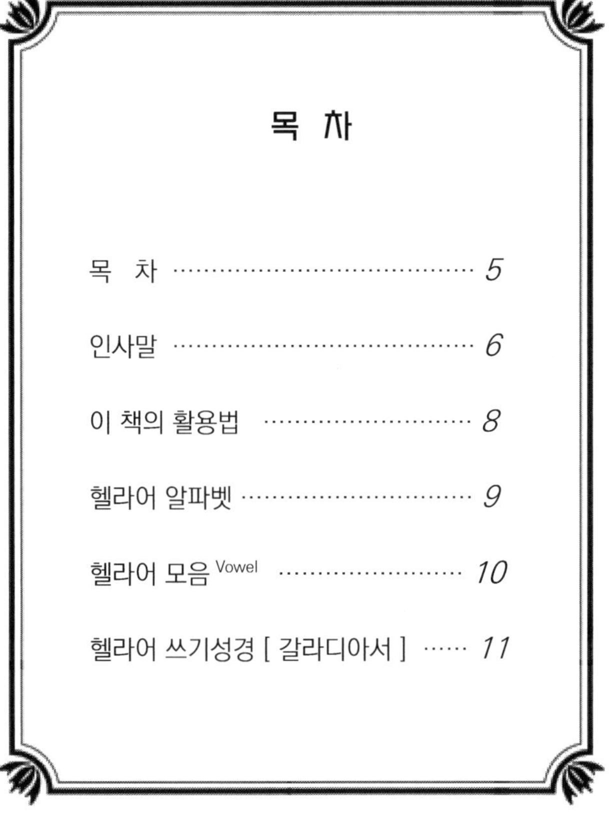

목 차

갈라디아서는 사도 바울이 갈라디아에 있는 초기 기독교 공동체들에게 보낸 편지입니다. 이 편지는 율법과 복음을 대조하면서, 예수 그리스도를 믿는 믿음으로 의롭게 된다는 바울의 교리를 강조하는 편지로 예수 그리스도를 믿는 믿음이 우리를 죄로부터 구원하고, 하나님의 자녀가 되게 하며, 거룩한 삶을 살게 한다고 가르칩니다. 이 편지는 예수 그리스도를 믿는 믿음이 우리를 죄로부터 구원하고, 하나님의 자녀가 되게 하며, 거룩한 삶을 살게 한다고 가르칩니다.

인사말

이학재 Lee Hakjae

· Covenant University 부총장
· 월간 맛싸 대표 · 맛싸성경 번역자 · 언약성경협회장

성경은 말씀으로 읽고 소리내서 낭독하는 훈련이 필요하다. 또한 성경은 precept, 즉 글로 적은 글이다. 십계명도 하나님께서 적어 주신 것이고 구약성경, 신약성경 모두다 사람들이 손으로 필사하여 전해온 것이다. 특히 시편에서는 하나님의 말씀을 '호크'[규례, 교훈]라고 부르는데 이것은 '하카크' 즉 '새기다, 기록하다'는 의미이다. 성경은 1455년에 라틴어를 출간하기까지 구약은 서기관들에 의해서 두루마리에 필사를 통해서 기록되었고 신약 역시 대문자, 소문자 등을 통해서 손으로 직접 적었다.

이같은 성경은 소리내 읽는 '낭독'과 글로 적는 '호크'[precept]로 기록된 말씀이다. 물론 타자를 치는 필사를 비롯하여 다양한 방법이 있지만, 특히 AI 시대에는 주관성과 개인의 특성을 가진 영성이 품어 나오는 적기 성경 즉 '필사 성경'이 필요하다. 시중에 한글 필사성경, 영어 등은 이미 출판되어 있지만 원문 필사는 아직 나오지 않았다. 원문 필사를 위해서는 원문만 넣을 것이 아니라 한글의 공적성경[개역, 개역개정]과 또한 사역이지만 원문에서 번역한 것이 필요한데 이런 면에서 '맛싸 성경'은 중요한 역할을 할 것이다. 아울러 영역본도 함께 제공되어 원문과 함께 번역본들을 보게 되고 자신의 필사 성경도 각권으로 남게 될 것이다.

성경을 적는다는 것은 참으로 중요하다. 기도하면서 성경에서도 달려가면서도 성경을 읽게 하라는 말씀은 성경에도 기록되어 있다[하박국 2장]. 많은 사람들이 성경을 덮어두거나, '말아 놓았다'. 이제는 적어서 펼쳐 놓아야 한다. 이런 면에서 족자, 액자들 성경 원문 쓰기를 통해서 원문을 보고 묵상하고 더욱 말씀을 가시적으로 보며 그 말씀의 생명력을 가지는 삶을 살아야 할 것이다. 이 모든 것이 '적는 것'[כתב 케타브]에서 시작된다. 이 시리즈는 구약 전권 신약 전권의 '쓰기', '적기'를 출간하는 것으로 생각하고 있다. 매일 일정한 양을 쓰면서 원문을 자유롭게 이해하고 원문의 바른 의미, 성경의 의미를 바르게 이해해서 말씀에 근거를 둔 그러한 건강한 말씀 중심의 삶을 살아가시기를 소원한다.

저자 이 학 재

허동보 Huh Dongbo · 수현교회 담임목사 · Covenant University 통합과정 중
· 왕초보 히브리어/헬라어 펜습자 저자

교회 역사는 대부분 이단으로부터 교회를 보호하는 역사였습니다. 사도들과 교부들의 가르침, 공의회를 통한 결정들은 우리 신앙의 선배들이 이단으로부터 교회를 지키고자 목숨까지 걸었던 몸부림이라고 해도 과언이 아닙니다. 그 신념, 그 몸부림의 근거는 바로 성경이었습니다. 하나님의 말씀이자 우리 신앙생활의 원천인 성경은 수천년이 지난 이 시대를 살아가는 우리가 쉽게 읽을 수 있도록 전문가들을 통해 비교적 잘 번역되어 있습니다. 그럼에도 불구하고 말씀을 사랑하고 매일 묵상하는 우리 그리스도인들이 히브리어와 헬라어를 배워야 하는 까닭은 무엇일까요?

첫째로 지금도 교회를 노리고 핍박하는 이들로부터 주님의 몸 된 교회를 지키기 위해서입니다. 아무리 번역이 잘 되었다고 하더라도 해당 언어가 가진 고유의 뉘앙스와 의미를 동일하게 전달하는 것은 불가능합니다. 따라서 우리는 원전을 살펴봄으로써 말씀에 대한 왜곡과 오해를 헤쳐 나가야 합니다. 둘째로 언어의 한계성 때문입니다. 성경이 쓰여진 시기의 사회적 배경과 문학적 장치들을 더 잘 전달받기 위해서 우리는 히브리어와 헬라어를 배워야 합니다. 우리는 해당 언어를 통해 한글성경에서 느끼기 힘든 시적 운율과 다양한 의미들을 더욱 세밀하게 들여다볼 수 있으며, 이 과정에서 더 큰 은혜를 느낄 수 있습니다. 셋째로 말씀을 사모하기 때문입니다. 다른 언어를 배운다는 것은 쉽지 않습니다. 그 어려움보다 말씀에 대한 사모가 더욱 간절하기에 우리는 기꺼이 시간과 노력을 할애할 수 있습니다. 이는 마치 해리포터를 사랑하는 사람이 영어를 배우고, 톨스토이를 사랑하는 사람이 러시아어를 배우는 것처럼 원전에 더 가까워지고자 하는 욕망은 말씀을 사모하는 이들이라면 거스를 수 없을 것입니다.

이런 관점에서 언약성경협회와 언약성경연구소의 사역은 하나님의 말씀을 열정적으로 소망하는 우리 그리스도인들에게 있어서 꼭 필요한, 그리고 꼭 이루어 나가야 할 사명이 아닌가 합니다. 이에 말씀을 사모하는 많은 분들이 케타브 프로젝트에 동참하길 소망합니다. 아울러 이학재 교수님을 통해 영광스럽게도 편집과 디자인으로 이 프로젝트에 동참하게 된 것에 대해 주님께 감사드립니다.

편집자

헬라어쓰기성경 활용법

이 책의 구조와 활용법에 대해 알려드립니다.

1. 왼쪽 페이지는 헬라어 성경인 Westcott-Hort Greek NT 와 더불어 맛싸성경과 함께 영문역본 NET2를 대조하였습니다.

   - 맛싸성경은 저자 이학재 박사가 원문성경에서 직접 번역한 번역물로 번역 저작물이 저작권협회에 접수된 개인 번역입니다.

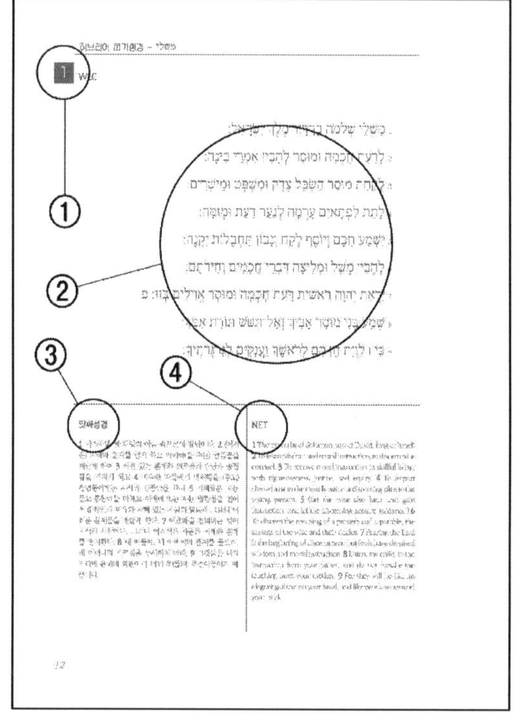

2. 왼쪽 페이지 좌상단에 위치한 숫자는 각 장을 말합니다. 각 절은 본문에 포함되어 있습니다.

   ① 몇 장인지 나타냅니다.
   ② 헬라어 본문입니다.
   ③ 맛싸성경 본문입니다.
   ④ NET2 본문입니다.

3. 여백을 넉넉히 두어 필사와 함께 성경공부를 위한 노트로 사용할 수 있습니다.

* 헬라어쓰기성경을 통해 하나님의 은혜가 더욱 풍성하고 가득한 신앙의 여정이 되시길 소망합니다.

헬라어 알파벳

대문자	소문자	이 름	대문자	소문자	이 름
Α	α	알파	Ν	ν	뉘
Β	β	베타	Ξ	ξ	크시
Γ	γ	감마	Ο	ο	오미크론
Δ	δ	델타	Π	π	피
Ε	ε	엡실론	Ρ	ρ	로
Ζ	ζ	제타	Σ	σ / ς	시그마
Η	η	에타	Τ	τ	타우
Θ	θ	테타	Υ	υ	윕실론
Ι	ι	이오타	Φ	φ	퓌
Κ	κ	캅파	Χ	χ	키
Λ	λ	람다	Ψ	ψ	프시
Μ	μ	뮈	Ω	ω	오메가

헬라어 모음 vowel

계열 / 구분	[아] 계열	[에] 계열	[이] 계열	[오] 계열	[우] 계열
단모음	α	ε	ι	ο	υ
장모음	α	η	ι	ω	υ
ἰ 이오타 하기	ᾳ	ῃ		ῳ	
그 외 이중모음	αι αυ [아이] [아우]	ει ευ [에이] [유]		οι ου [오이] [우]	υι [위]

헬라어 모음은 위 표를 보면 알 수 있듯이 전혀 어려울 것이 없습니다. '아, 에, 이, 오, 우'만 잘 외우고 있으면 됩니다. 구체적인 발음은 『왕초보 헬라어 펜습자』(허동보 저) 제 2 장 헬라어 모음편을 참조하세요.

약숨표 smooth breathing	ἀ[아] ἐ[에] ἰ[이] ὀ[오] ὐ[우] ἠ[에] ὠ[오]
강숨표 rough breathing	ἁ[하] ἑ[헤] ἱ[히] ὁ[호] ὑ[후] ἡ[헤] ὡ[호]

■ 꼭 기억해야 하는 '숨표'breathings ᾿ ῾

헬라어 모음에서 정말 중요한 것 한 가지가 더 있습니다. 바로 숨표 breathings 입니다. 숨표에는 '강숨표'rough breathing 와 '약숨표'smooth breathing 가 있습니다. 일반적으로는 약숨표가 주로 사용되지만, 종종 강숨표가 붙은 단어들이 등장합니다. 약숨표가 붙은 단어는 원래 음가 그대로 읽어주면 되지만, 강숨표가 붙은 단어는 'ㅎ'[h] 발음을 넣어서 이름 그대로 '거칠게'rough 읽어줍니다. 이중모음에서 숨표는 뒷 글자에 붙으며, 약숨표와 강숨표는 같은 모양, 반대 방향입니다. 가령 '날'day 을 의미하는 *ἡμέρα* 라는 단어는 '에메라'가 아니라 '헤메라'로 읽습니다. 작은 따옴표처럼 생긴 저 숨표를 잘 체크해야 합니다.

Πρός Γαλατας

-갈라디아서-

1 Westcott-Hort Greek NT

1 Παῦλος ἀπόστολος οὐκ ἀπ' ἀνθρώπων οὐδὲ δι' ἀνθρώπου
ἀλλὰ διὰ Ἰησοῦ Χριστοῦ καὶ θεοῦ πατρὸς τοῦ ἐγείραντος αὐτὸν
ἐκ νεκρῶν,
2 καὶ οἱ σὺν ἐμοὶ πάντες ἀδελφοὶ ταῖς ἐκκλησίαις τῆς Γαλατίας,
3 χάρις ὑμῖν καὶ εἰρήνη ἀπὸ θεοῦ πατρὸς ἡμῶν καὶ κυρίου
Ἰησοῦ Χριστοῦ.
4 τοῦ δόντος ἑαυτὸν ὑπὲρ τῶν ἁμαρτιῶν ἡμῶν, ὅπως ἐξέληται
ἡμᾶς ἐκ τοῦ αἰῶνος τοῦ ἐνεστῶτος πονηροῦ κατὰ τὸ θέλημα τοῦ
θεοῦ καὶ πατρὸς ἡμῶν,
5 ᾧ ἡ δόξα εἰς τοὺς αἰῶνας τῶν αἰώνων, ἀμήν.

맛싸성경

1 사람들로부터도 아니고, 사람을 통해서도 아니며 오히려 예수 그리스도를 통하여, 그리고 죽은 자들에서 그분을 일으키신 아버지 하나님을 [통하여] 사도(된) 바울은 2 그리고 나와 함께 있는 모든 형제들이 갈라디아의 교회들에 (편지하니) 3 우리 아버지 하나님과 또 주님 예수 그리스도로부터 은혜와 평안이 너희에게(있기를 원한다). 4 그분(주님)은 우리 죄를 위하여 자신을 주셨고, 또 그래서 지금 이 악한 시대에서 하나님 또 우리 아버지의 뜻을 따라서 우리를 구출하셨으니, 5 그분께 영광이 영원무궁토록 (있기를 원한다) 아멘.

NET

1 From Paul, an apostle (not from men, nor by human agency, but by Jesus Christ and God the Father who raised him from the dead) 2 and all the brothers with me, to the churches of Galatia. 3 Grace and peace to you from God the Father and our Lord Jesus Christ, 4 who gave himself for our sins to rescue us from this present evil age according to the will of our God and Father, 5 to whom be glory forever and ever! Amen.

1 Westcott-Hort Greek NT

6 Θαυμάζω ὅτι οὕτως ταχέως μετατίθεσθε ἀπὸ τοῦ καλέσαντος
ὑμᾶς ἐν χάριτι Χριστοῦ εἰς ἕτερον εὐαγγέλιον,
7 ὃ οὐκ ἔστιν ἄλλο, εἰ μή τινές εἰσιν οἱ ταράσσοντες ὑμᾶς καὶ
θέλοντες μεταστρέψαι τὸ εὐαγγέλιον τοῦ Χριστοῦ,
8 ἀλλὰ καὶ ἐὰν ἡμεῖς ἢ ἄγγελος ἐξ οὐρανοῦ εὐαγγελίσηται
[ὑμῖν] παρ' ὃ εὐηγγελισάμεθα ὑμῖν, ἀνάθεμα ἔστω.
9 ὡς προειρήκαμεν καὶ ἄρτι πάλιν λέγω· εἴ τις ὑμᾶς
εὐαγγελίζεται παρ' ὃ παρελάβετε, ἀνάθεμα ἔστω.
10 Ἄρτι γὰρ ἀνθρώπους πείθω ἢ τὸν θεόν; ἢ ζητῶ ἀνθρώποις
ἀρέσκειν; εἰ ἔτι ἀνθρώποις ἤρεσκον, Χριστοῦ δοῦλος οὐκ ἂν
ἤμην.

맛싸성경

6 너희가 그리스도 은혜 안에서 너희를 부르신 분에게서부터 다른 복음으로 이렇게 속히 돌아서는 것에 나는 놀란다. 7 다른 것(복음)은 없으니, 오직 몇몇 사람들은 너희를 혼란에 빠지게 하는 자이며, 그리스도의 복음을 왜곡하고자 원하는 자이다. 8 그러나 또 만일 우리나, 하늘로부터(온) 천사라고 하여도 내가 너희에게 복음을 전한 것 외에 (복음을) 전하면 저주가 있을지어다. 9 이전에 말한 것 같이, 또 지금 다시 말하니, 누구든지 너희가 받은 것 외에 (다른 복음을) 너희에게 복음을 전하면, 저주가 있을지어다. 10 이는 지금 내가 사람들에게 얻으려 하려 하겠느냐? 혹은 하나님께냐? 내가 사람들을 기쁘게 하려고 구하겠느냐? 이는 만일 사람들만 아직도 기쁘게 하고자 한다면, 나는 그리스도의 종이 아니다.

NET

6 I am astonished that you are so quickly deserting the one who called you by the grace of Christ and are following a different gospel— 7 not that there really is another gospel, but there are some who are disturbing you and wanting to distort the gospel of Christ. 8 But even if we (or an angel from heaven) should preach a gospel contrary to the one we preached to you, let him be condemned to hell! 9 As we have said before, and now I say again, if any one is preaching to you a gospel contrary to what you received, let him be condemned to hell! 10 Am I now trying to gain the approval of people, or of God? Or am I trying to please people? If I were still trying to please people, I would not be a slave of Christ!

1 Westcott-Hort Greek NT

11 Γνωρίζω γὰρ ὑμῖν, ἀδελφοί, τὸ εὐαγγέλιον τὸ εὐαγγελισθὲν
ὑπ' ἐμοῦ ὅτι οὐκ ἔστιν κατὰ ἄνθρωπον·
12 οὐδὲ γὰρ ἐγὼ παρὰ ἀνθρώπου παρέλαβον αὐτὸ οὔτε
ἐδιδάχθην ἀλλὰ δι' ἀποκαλύψεως Ἰησοῦ Χριστοῦ.

맛싸성경

11 이러므로 내가 너희에게 알게 하노라. 형제들아,
나에 의해 전해진 복음은 사람을 따라서 되어진 것이
아니다. 12 이는 나도 사람으로부터 그것을 받은 것
도 아니고, 배운 것도 아니니, 다만 예수 그리스도의
계시를 통한 것이다.

NET

11 Now I want you to know, brothers and sisters, that
the gospel I preached is not of human origin. 12 For I
did not receive it or learn it from any human source;
instead I received it by a revelation of Jesus Christ.

1 Westcott-Hort Greek NT

13 Ἠκούσατε γὰρ τὴν ἐμὴν ἀναστροφήν ποτε ἐν τῷ Ἰουδαϊσμῷ,
ὅτι καθ' ὑπερβολὴν ἐδίωκον τὴν ἐκκλησίαν τοῦ θεοῦ καὶ
ἐπόρθουν αὐτὴν,
14 καὶ προέκοπτον ἐν τῷ Ἰουδαϊσμῷ ὑπὲρ πολλοὺς
συνηλικιώτας ἐν τῷ γένει μου, περισσοτέρως ζηλωτὴς
ὑπάρχων τῶν πατρικῶν μου παραδόσεων.

맛싸성경

13 이는 너희는 내가 전에 유대주의에서 행동했던 것
을 너희가 들었다. 하나님의 교회를 아주 심하게 박해
하고, 그것을 멸하려 하였다. **14** 그리고 나는 내 종족
에서 내 많은 동료들을 능가하여 유대주의 안에서 앞
장섰고, 내 조상의 전통들에 더 많은 열심을 가지고
있었다.

NET

13 For you have heard of my former way of life in
Judaism, how I was savagely persecuting the church
of God and trying to destroy it. **14** I was advancing in
Judaism beyond many of my contemporaries in my
nation, and was extremely zealous for the traditions
of my ancestors.

1 Westcott-Hort Greek NT

15 Ὅτε δὲ εὐδόκησεν [ὁ θεὸς] ὁ ἀφορίσας με ἐκ κοιλίας μητρός
μου καὶ καλέσας διὰ τῆς χάριτος αὐτοῦ.
16 ἀποκαλύψαι τὸν υἱὸν αὐτοῦ ἐν ἐμοί, ἵνα εὐαγγελίζωμαι
αὐτὸν ἐν τοῖς ἔθνεσιν, εὐθέως οὐ προσανεθέμην σαρκὶ καὶ
αἵματι.
17 οὐδὲ ἀνῆλθον εἰς Ἰεροσόλυμα πρὸς τοὺς πρὸ ἐμοῦ
ἀποστόλους, ἀλλὰ ἀπῆλθον εἰς Ἀραβίαν καὶ πάλιν ὑπέστρεψα
εἰς Δαμασκόν.

맛싸성경

15 그러나 나를 어머니의 태에서부터 나를 구별하신 그의 은혜를 통하여 부르신 하나님이 기뻐하시고 16 그분의 아들을 내 안에서 계시하셔서, 그래서 이방인들 안에서 그분을 (복음) 전하도록 하였으니 즉시로 살과 피에 의논하지 않았다. 17 나는 내 이전에 사도들이 된 자들에게 예루살렘으로 올라가지도 않았고, 오히려 아라비아로 나는 갔고, 또 다시 다마스코스로 돌아갔다.

NET

15 But when the one who set me apart from birth and called me by his grace was pleased 16 to reveal his Son in me so that I could preach him among the Gentiles, I did not go to ask advice from any human being, 17 nor did I go up to Jerusalem to see those who were apostles before me, but right away I departed to Arabia, and then returned to Damascus.

1

Westcott-Hort Greek NT

18 Ἔπειτα μετὰ τρία ἔτη ἀνῆλθον εἰς Ἰεροσόλυμα ἱστορῆσαι
Κηφᾶν καὶ ἐπέμεινα πρὸς αὐτὸν ἡμέρας δεκαπέντε,
19 ἕτερον δὲ τῶν ἀποστόλων οὐκ εἶδον εἰ μὴ Ἰάκωβον τὸν
ἀδελφὸν τοῦ κυρίου.
20 ἃ δὲ γράφω ὑμῖν, ἰδοὺ ἐνώπιον τοῦ θεοῦ ὅτι οὐ ψεύδομαι.
21 Ἔπειτα ἦλθον εἰς τὰ κλίματα τῆς Συρίας καὶ [τῆς] Κιλικίας·
22 ἤμην δὲ ἀγνοούμενος τῷ προσώπῳ ταῖς ἐκκλησίαις τῆς
Ἰουδαίας ταῖς ἐν Χριστῷ.
23 μόνον δὲ ἀκούοντες ἦσαν ὅτι ὁ διώκων ἡμᾶς ποτε νῦν
εὐαγγελίζεται τὴν πίστιν ἥν ποτε ἐπόρθει,
24 καὶ ἐδόξαζον ἐν ἐμοὶ τὸν θεόν.

맛싸성경

18 그리고 3 년 후에 나는 게바에게 방문하려고 예루
살렘으로 올라갔고, 그와 함께 15 일을 머물렀다. 19
그러나 주님의 형제 야고보 외에는 다른 사도들을 나
는 보지 못하였다. 20 그러나 내가 이것을 너희에게
쓰는데, 보아라! 하나님 앞에서 나는 거짓말을 하지
않는다. 21 그리고 나서 나는 수리아와 길리키아 지
역으로 갔다. 22 그러나 그리스도 안에 있는 유대인
교회들을 얼굴로 알지 못하니, 23 그러나 단지 그들
이 들었을 때, "전에 우리를 박해하던 자가, 그가 전에
파괴하려 하였던 그 믿음을(복음으로) 지금은 증거 하
도다."(고 말하였다). 24 그래서 그들은 내 경우로 하
나님께 영광을 돌렸다.

NET

18 Then after three years I went up to Jerusalem to
visit Cephas and get information from him, and I
stayed with him fifteen days. 19 But I saw none of the
other apostles except James the Lord's brother. 20 I
assure you that, before God, I am not lying about
what I am writing to you! 21 Afterward I went to the
regions of Syria and Cilicia. 22 But I was personally
unknown to the churches of Judea that are in Christ.
23 They were only hearing, "The one who once
persecuted us is now proclaiming the good news of
the faith he once tried to destroy." 24 So they
glorified God because of me.

2 Westcott-Hort Greek NT

1 Ἔπειτα διὰ δεκατεσσάρων ἐτῶν πάλιν ἀνέβην εἰς Ἰεροσόλυμα
μετὰ βαρναβᾶ συμπαραλαβὼν καὶ Τίτον·
2 ἀνέβην δὲ κατὰ ἀποκάλυψιν· καὶ ἀνεθέμην αὐτοῖς τὸ
εὐαγγέλιον ὁ κηρύσσω ἐν τοῖς ἔθνεσιν, κατ' ἰδίαν δὲ τοῖς
δοκοῦσιν, μή πως εἰς κενὸν τρέχω ἢ ἔδραμον.
3 ἀλλ' οὐδὲ Τίτος ὁ σὺν ἐμοί, Ἕλλην ὤν, ἠναγκάσθη
περιτμηθῆναι·
4 διὰ δὲ τοὺς παρεισάκτους ψευδαδέλφους οἵτινες
παρεισῆλθον κατασκοπῆσαι τὴν ἐλευθερίαν ἡμῶν ἣν ἔχομεν ἐν
Χριστῷ Ἰησοῦ, ἵνα ἡμᾶς καταδουλώσουσιν,
5 οἷς οὐδὲ πρὸς ὥραν εἴξαμεν τῇ ὑποταγῇ, ἵνα ἡ ἀλήθεια τοῦ
εὐαγγελίου διαμείνῃ πρὸς ὑμᾶς.

맛싸성경

1 그리고 나서 14 년 후에 다시 나는 바나바와 디도를
함께 데리고 예루살렘으로 올라갔다. 2 그러나 나는
계시를 따라 올라갔다. 그리고 그들에게 내가 이방인
들에게 선포한 복음을 개인적으로 영향력 있는 자들
에게 내 놓았으니 내가 달려가는 것이나, 달려간 것이
헛되지 않도록 함이었다. 3 그러나 나와 함께 있는 그
리스 사람(혹, '헬라인') 디도 조차도 않게 하였으니,
(곧) 할례를 받도록 강요받은 것이라. 4 그런데 거짓
형제들이 몰래 들어왔기 때문에, 그들이 들어와서 우
리가 가지고 있는 우리의 자유를 엿보았고, 그래서 우
리를 종되게 하려고 하였다. 5 그들에게 조금도 굴복
으로 양보하지 않았으니, 복음의 진리가 너희를 위하
여 남아 있게 하려 함이다.

NET

1 Then after fourteen years I went up to Jerusalem
again with Barnabas, taking Titus along too. 2 I went
there because of a revelation and presented to them
the gospel that I preach among the Gentiles. But I
did so only in a private meeting with the influential
people, to make sure that I was not running—or had
not run—in vain. 3 Yet not even Titus, who was with
me, was compelled to be circumcised, although he
was a Greek. 4 Now this matter arose because of the
false brothers with false pretenses who slipped in
unnoticed to spy on our freedom that we have in
Christ Jesus, to make us slaves. 5 But we did not
surrender to them even for a moment, in order that
the truth of the gospel would remain with you.

2 Westcott-Hort Greek NT

6 Ἀπὸ δὲ τῶν δοκούντων εἶναι τι,- ὁποῖοι ποτε ἦσαν οὐδέν μοι
διαφέρει· πρόσωπον [ὁ] θεὸς ἀνθρώπου οὐ λαμβάνει- ἐμοὶ γὰρ
οἱ δοκοῦντες οὐδὲν προσανέθεντο,
7 ἀλλὰ τουναντίον ἰδόντες ὅτι πεπίστευμαι τὸ εὐαγγέλιον τῆς
ἀκροβυστίας καθὼς Πέτρος τῆς περιτομῆς.
8 ὁ γὰρ ἐνεργήσας Πέτρῳ εἰς ἀποστολὴν τῆς περιτομῆς
ἐνήργησεν καὶ ἐμοὶ εἰς τὰ ἔθνη,
9 καὶ γνόντες τὴν χάριν τὴν δοθεῖσαν μοι, Ἰάκωβος καὶ Κηφᾶς
καὶ Ἰωάννης, οἱ δοκοῦντες στῦλοι εἶναι δεξιὰς ἔδωκαν ἐμοὶ καὶ
βαρναβᾷ κοινωνίας, ἵνα ἡμεῖς εἰς τὰ ἔθνη, αὐτοὶ δὲ εἰς τὴν
περιτομήν·
10 μόνον τῶν πτωχῶν ἵνα μνημονεύωμεν, ὁ καὶ ἐσπούδασα
αὐτὸ τοῦτο ποιῆσαι.

맛싸성경

6 그러나 영향력 있는 자들에게서부터 전에 그들은 누구이든지, 나와는 다른 자들이다. 하나님은 사람의 얼굴로 받아주시지는 않는다. 그러나 나는 영향력 있는 자들과 나는 의논한 적도 없다. 7 그러나 오히려 그들은 무할례자의 복음이 내게 맡겨진 것을 보았고, 베드로는 할례자처럼 하였다. 8 이는 베드로에게 그는 할례의 사도를 위하여 일하게 하셨으며, 또한 나에게는 이방인들을 위한 것으로 (사도로 역사하셨다). 9 내게 주신 은혜를 알게 되었는데, 그들은 야고보와 게바와 요한이며, 이들은 기둥들 같이 영향력 있는 자들이며, 그들이 내게 오른 손을 주었고, 또 바나바와 교제하였으니, 그리하여 나는 이방인들에게, 그들은 할례를 위한 자들이다. 10 단지 가난한 자들을 기억하도록 (부탁하였고) 나도 이것을 하려고 애썼다.

NET

6 But from those who were influential (whatever they were makes no difference to me; God shows no favoritism between people)—those influential leaders added nothing to my message. 7 On the contrary, when they saw that I was entrusted with the gospel to the uncircumcised just as Peter was entrusted with the gospel to the circumcised 8 (for he who empowered Peter for his apostleship to the circumcised also empowered me for my apostleship to the Gentiles) 9 and when James, Cephas, and John, who had a reputation as pillars, recognized the grace that had been given to me, they gave to Barnabas and me the right hand of fellowship, agreeing that we would go to the Gentiles and they to the circumcised. 10 They requested only that we remember the poor, the very thing I also was eager to do.

2 Westcott-Hort Greek NT

11 Ὅτε δὲ ἦλθεν Κηφᾶς εἰς Ἀντιόχειαν, κατὰ πρόσωπον αὐτῷ ἀντέστην, ὅτι κατεγνωσμένος ἦν.
12 πρὸ τοῦ γὰρ ἐλθεῖν τινας ἀπὸ Ἰακώβου μετὰ τῶν ἐθνῶν συνήσθιεν· ὅτε δὲ ἦλθον ὑπέστελλεν καὶ ἀφώριζεν ἑαυτὸν φοβούμενος τοὺς ἐκ περιτομῆς.
13 καὶ συνυπεκρίθησαν αὐτῷ [καὶ] οἱ λοιποὶ Ἰουδαῖοι, ὥστε καὶ βαρναβᾶς συναπήχθη αὐτῶν τῇ ὑποκρίσει.
14 ἀλλ' ὅτε εἶδον ὅτι οὐκ ὀρθοποδοῦσιν πρὸς τὴν ἀλήθειαν τοῦ εὐαγγελίου, εἶπον τῷ Κηφᾷ ἔμπροσθεν πάντων· εἰ σὺ Ἰουδαῖος ὑπάρχων ἐθνικῶς καὶ οὐκ Ἰουδαϊκῶς ζῇς πῶς τὰ ἔθνη ἀναγκάζεις ἰουδαΐζειν;.

맛싸성경

11 게바가 안디옥에 왔을 때에, 나도 그와 함께 얼굴을 대하여 섰는데, 그는 (나에게) 책망받았다. 12 이는 어떤 사람이 야고보에게서부터 왔는데, 그는 이방인들과 함께 먹었다. 그러나 그들이 오자, 할례자들을 두려워하여 그는 물러났고, 또 그 자신이 따로 서 있었다. 13 남은 유대인들도 그와 함께 위선을 하였으니, 그러자 바나바도 위선에 함께 빠졌다. 14 그러나 그들이 복음의 진리를 위해서 바르게 행동하지 않은 것을 내가 보고, 모든 자들 앞에서 게바에게 말하였으니, '만일 네가 유대인이면서도, 이방인처럼 (살며) 또 유대인처럼 살지 않으면서, 어떻게 이방인들을 유대인처럼 살게 하려고 강요하는가?

NET

11 But when Cephas came to Antioch, I opposed him to his face, because he had clearly done wrong. **12** Until certain people came from James, he had been eating with the Gentiles. But when they arrived, he stopped doing this and separated himself because he was afraid of those who were pro-circumcision. **13** And the rest of the Jews also joined with him in this hypocrisy, so that even Barnabas was led astray with them by their hypocrisy. **14** But when I saw that they were not behaving consistently with the truth of the gospel, I said to Cephas in front of them all, "If you, although you are a Jew, live like a Gentile and not like a Jew, how can you try to force the Gentiles to live like Jews?"

15 ἡμεῖς φύσει Ἰουδαῖοι καὶ οὐκ ἐξ ἐθνῶν ἁμαρτωλοί·
16 εἰδότες δὲ ὅτι οὐ δικαιοῦται ἄνθρωπος ἐξ ἔργων νόμου ἐὰν
μὴ διὰ πίστεως Χριστοῦ Ἰησοῦ, καὶ ἡμεῖς εἰς Χριστὸν Ἰησοῦν
ἐπιστεύσαμεν, ἵνα δικαιωθῶμεν ἐκ πίστεως Χριστοῦ καὶ οὐκ ἐξ
ἔργων νόμου, ὅτι ἐξ ἔργων νόμου οὐ δικαιωθήσεται πᾶσα σάρξ.
17 εἰ δὲ ζητοῦντες δικαιωθῆναι ἐν Χριστῷ εὑρέθημεν καὶ αὐτοὶ
ἁμαρτωλοί, ἆρα Χριστὸς ἁμαρτίας διάκονος; μὴ γένοιτο.
18 εἰ γὰρ ἃ κατέλυσα ταῦτα πάλιν οἰκοδομῶ, παραβάτην
ἐμαυτὸν συνιστάνω.

맛싸성경

15 우리는 태생으로 유대인들 (이라고) 죄인들은 아니다. **16** 사람은 율법의 행위로부터 의로워지는 것이 아니라, 예수 그리스도를 오직 믿음을 통해서만 된다. 그래서 우리는 그리스도 예수를 믿었으니, 우리는 그리스도의 믿음으로부터 우리는 의로워지니, 또한 율법의 행위로부터가 아니다. 이같이 모든 육체는 율법의 행위로 그가 의로워지지 않는다. **17** 그러나 만일 우리가 그리스도안에서 의로워지려고 추구하다가, 우리 자신들이 죄인들로 발견되어지면, 그러면 그리스도께서 죄의 대행자 이시냐? 결코 그렇지 않다. **18** 이는 만일 파괴한 것을 이것들을 내가 다시 세우면, 내 자신은 범법자로 다시 내 세우는 것이다.

NET

15 We are Jews by birth and not Gentile sinners, **16** yet we know that no one is justified by the works of the law but by the faithfulness of Jesus Christ. And we have come to believe in Christ Jesus, so that we may be justified by the faithfulness of Christ and not by the works of the law, because by the works of the law no one will be justified. **17** But if while seeking to be justified in Christ we ourselves have also been found to be sinners, is Christ then one who encourages sin? Absolutely not! **18** But if I build up again those things I once destroyed, I demonstrate that I am one who breaks God's law.

2 Westcott-Hort Greek NT

19 ἐγὼ γὰρ διὰ νόμου νόμῳ ἀπέθανον, ἵνα θεῷ ζήσω. Χριστῷ
συνεσταύρωμαι·
20 ζῶ δὲ οὐκέτι ἐγώ, ζῇ δὲ ἐν ἐμοὶ Χριστὸς· ὁ δὲ νῦν ζῶ ἐν σαρκί,
ἐν πίστει ζῶ τῇ τοῦ υἱοῦ τοῦ θεοῦ τοῦ ἀγαπήσαντος με καὶ
παραδόντος ἑαυτὸν ὑπὲρ ἐμοῦ.
21 Οὐκ ἀθετῶ τὴν χάριν τοῦ θεοῦ· εἰ γὰρ διὰ νόμου δικαιοσύνη,
ἄρα Χριστὸς δωρεὰν ἀπέθανεν.

맛싸성경

19 이는 내가 율법을 통하여 율법으로 죽었으니, 또 한 하나님께 내가 살고자 함이다. **20** 내가 그리스도와 함께 십자가에 못박혔으니, 이제 더 이상 나로서 내가 사는 것이 아니요, 그러나 내 안에 그리스도, 그 분이 사신다. 그래서 이제 내가 육체 안에 사는 것은 나를 사랑하시고, 또 나를 위하여 자신의 생명을 내주신 하나님의 아들의 믿음 안에 나는 산다. **21** 더 이상 하나님의 은혜를 무효로 하지 않으니, 이는 만일 율법을 통하여 의롭게 되면, 그러면 그리스도께서 헛되게 죽이신 것이다.

NET

19 For through the law I died to the law so that I may live to God. **20** I have been crucified with Christ, and it is no longer I who live, but Christ lives in me. So the life I now live in the body, I live because of the faithfulness of the Son of God, who loved me and gave himself for me. **21** I do not set aside God's grace, because if righteousness could come through the law, then Christ died for nothing!

3 Westcott-Hort Greek NT

1 Ὦ ἀνόητοι Γαλάται, τίς ὑμᾶς ἐβάσκανεν, οἷς κατ' ὀφθαλμοὺς
Ἰησοῦς Χριστὸς προεγράφη ἐσταυρωμένος;.
2 τοῦτο μόνον θέλω μαθεῖν ἀφ' ὑμῶν· ἐξ ἔργων νόμου τὸ πνεῦμα
ἐλάβετε ἢ ἐξ ἀκοῆς πίστεως;.
3 οὕτως ἀνόητοί ἐστε, ἐναρξάμενοι πνεύματι νῦν σαρκὶ
ἐπιτελεῖσθε;.
4 τοσαῦτα ἐπάθετε εἰκῇ; εἴ γε καὶ εἰκῇ.
5 ὁ οὖν ἐπιχορηγῶν ὑμῖν τὸ πνεῦμα καὶ ἐνεργῶν δυνάμεις ἐν
ὑμῖν ἐξ ἔργων νόμου ἢ ἐξ ἀκοῆς πίστεως;.

맛싸성경

1 어리석은 갈라디아 사람들아! 누가 너희를 홀려서 진리에 순종하지 않게 하는가? 예수 그리스도께서 눈(들)에 대하여 십자가에 못 박히신 것이 너희 앞에서 명백하지 않느냐? 2 단지 이것은 내가 너희에게서 알아내려 하니, 너희가 율법의 행위로부터 성령을 받았느냐? 아니면 믿음의(으로) 들음으로부터냐? 3 이같이 너희는 어리석으냐? 성령으로 시작하였다가 이제 육체로 끝내려느냐? 4 너희는 많은 것들을 헛되이 경험하려느냐? 만일 그렇다면 헛되냐? 5 그러므로 그분이 너희에게 성령을 주시고, 너희 안에서 능력을 행하시는 것이 율법의 행위로부터이냐? 믿음의 들음으로부터냐?

NET

1 You foolish Galatians! Who has cast a spell on you? Before your eyes Jesus Christ was vividly portrayed as crucified! 2 The only thing I want to learn from you is this: Did you receive the Spirit by doing the works of the law or by believing what you heard? 3 Are you so foolish? Although you began with the Spirit, are you now trying to finish by human effort? 4 Have you suffered so many things for nothing?—if indeed it was for nothing. 5 Does God then give you the Spirit and work miracles among you by your doing the works of the law or by your believing what you heard?

3 Westcott-Hort Greek NT

6 Καθὼς Ἀβραὰμ ἐπίστευσεν τῷ θεῷ, καὶ ἐλογίσθη αὐτῷ εἰς
δικαιοσύνην·
7 γινώσκετε ἄρα ὅτι οἱ ἐκ πίστεως, οὗτοι υἱοί εἰσιν Ἀβραάμ.
8 προιδοῦσα δὲ ἡ γραφὴ ὅτι ἐκ πίστεως δικαιοῖ τὰ ἔθνη ὁ θεὸς
προευηγγελίσατο τῷ Ἀβραὰμ ὅτι ἐνευλογηθήσονται ἐν σοὶ
πάντα τὰ ἔθνη·
9 ὥστε οἱ ἐκ πίστεως εὐλογοῦνται σὺν τῷ πιστῷ Ἀβραάμ.
10 Ὅσοι γὰρ ἐξ ἔργων νόμου εἰσίν, ὑπὸ κατάραν εἰσίν·
γέγραπται γὰρ ὅτι ἐπικατάρατος πᾶς ὃς οὐκ ἐμμένει πᾶσιν τοῖς
γεγραμμένοις ἐν τῷ βιβλίῳ τοῦ νόμου τοῦ ποιῆσαι αὐτά.

맛싸성경

6 아브라함이 하나님을 믿었을 때, 그것이 그에게 의
로 여겨지셨다. 7 그런즉 너희는 알 것이니 믿음으로
난 자들, 이들은 아브라함의 아들들이다. 8 그러나 성
경이 미리 보여주었으니 하나님께서 이방인들을 믿음
으로부터 의롭게 하시려고, 아브라함에게 미리 복음
을 전하셨다. (곧) 모든 이방인(들)이 네 안에서 복을
받아질 것이라는 것이다. 9 그래서 믿음으로부터 (난)
자들은 믿음으로 아브라함과 함께 복을 받을 것이라.
10 그러므로 누구든지 율법의 행위로부터 있고자 하
는 자는 저주 아래 있으니, 이는 기록되었으되, 누구
든지 율법 책 안에서 기록된 모든 것들에 그가 거하지
않거나, 그것들을 행하지 않으면 저주가 있다.

NET

6 Just as Abraham believed God, and it was credited
to him as righteousness, 7 so then, understand that
those who believe are the sons of Abraham. 8 And
the scripture, foreseeing that God would justify the
Gentiles by faith, proclaimed the gospel to Abraham
ahead of time, saying, "All the nations will be blessed
in you." 9 So then those who believe are blessed
along with Abraham the believer. 10 For all who rely
on doing the works of the law are under a curse
because it is written, "Cursed is everyone who does
not keep on doing everything written in the book of
the law."

3 Westcott-Hort Greek NT

11 ὅτι δὲ ἐν νόμῳ οὐδεὶς δικαιοῦται παρὰ τῷ θεῷ δῆλον, ὅτι ὁ
δίκαιος ἐκ πίστεως ζήσεται·
12 ὁ δὲ νόμος οὐκ ἔστιν ἐκ πίστεως, ἀλλ' ὁ ποιήσας αὐτὰ ζήσεται ἐν
αὐτοῖς.
13 Χριστὸς ἡμᾶς ἐξηγόρασεν ἐκ τῆς κατάρας τοῦ νόμου γενόμενος
ὑπὲρ ἡμῶν κατάρα, ὅτι γέγραπται ἐπικατάρατος πᾶς ὁ κρεμάμενος
ἐπὶ ξύλου,
14 ἵνα εἰς τὰ ἔθνη ἡ εὐλογία τοῦ Ἀβραὰμ γένηται ἐν Ἰησοῦ Χριστῷ,
ἵνα τὴν ἐπαγγελίαν τοῦ πνεύματος λάβωμεν διὰ τῆς πίστεως.

맛싸성경

11 그러나 어떤 사람도 율법으로 하나님 앞에서 확실히 의로워질 수는 없으니, 의인은 믿음으로부터 살 것이다. 12 그러나 율법은 믿음으로부터 난 것이 아니니, 그러나 이것을 행하는 자는 그것들로 살 것이다. 13 그리스도께서 율법의 저주에서부터 우리를 구속하셨고, 우리를 위하여 저주가 되셨으니, 기록되었으니 이는 나무에 달린 자마다 저주를 받았다. 14 그래서 아브라함의 복이 예수 그리스도 안에서 이방인들에게도 있어지게 함이니, 그래서 우리는 믿음을 통하여 성령의 약속을 받게 함이다.

NET

11 Now it is clear no one is justified before God by the law because the righteous one will live by faith. 12 But the law is not based on faith, but the one who does the works of the law will live by them. 13 Christ redeemed us from the curse of the law by becoming a curse for us (because it is written, "Cursed is everyone who hangs on a tree") 14 in order that in Christ Jesus the blessing of Abraham would come to the Gentiles, so that we could receive the promise of the Spirit by faith.

3 Westcott-Hort Greek NT

15 Ἀδελφοί, κατὰ ἄνθρωπον λέγω· ὅμως ἀνθρώπου
κεκυρωμένην διαθήκην οὐδεὶς ἀθετεῖ ἢ ἐπιδιατάσσεται.
16 τῷ δὲ Ἀβραὰμ ἐρρέθησαν αἱ ἐπαγγελίαι καὶ τῷ σπέρματι
αὐτοῦ. οὐ λέγει· καὶ τοῖς σπέρμασιν, ὡς ἐπὶ πολλῶν ἀλλ' ὡς ἐφ'
ἑνός· καὶ τῷ σπέρματι σου, ὅς ἐστιν Χριστός.
17 τοῦτο δὲ λέγω· διαθήκην προκεκυρωμένην ὑπὸ τοῦ θεοῦ ὁ
μετὰ τετρακόσια καὶ τριάκοντα ἔτη γεγονὼς νόμος οὐκ ἀκυροῖ
εἰς τὸ καταργῆσαι τὴν ἐπαγγελίαν.
18 εἰ γὰρ ἐκ νόμου ἡ κληρονομία, οὐκέτι ἐξ ἐπαγγελίας· τῳ δὲ
Ἀβραὰμ δι' ἐπαγγελίας κεχάρισται ὁ θεός.

맛싸성경

15 형제들아, 내가 사람들을 따라서 내가 말한다. 사람들의 언약이 확정되었다 하더라도 누구도 무효화하거나 추가하지 못한다. 16 그러나 아브라함과 또 그의 씨(자녀)에게 이 약속들이 말해졌으니, 씨들(자녀들)이라고 그가 말하지 않았으니, 많은 자들에\ 대해서가 아니라, 한 사람에 대해서 말한 것이나, 네 씨에 대한 것으로, 그분은 그리스도이시다. 17 그러니 내가 이것을 말한다. 하나님에 의해서 언약이 전에 비준되어 졌으니, 사백 삼십 년 후에 되어진 율법이 약속을 효력이 없도록 하려고 무효화 할 수 없다. 18 이는 만일 율법으로부터 난 유산이면 약속으로부터 난 것이 아니다. 그러나 아브라함으로 약속을 통하여 하나님께서 은혜로 주셨다.

NET

15 Brothers and sisters, I offer an example from everyday life: When a covenant has been ratified, even though it is only a human contract, no one can set it aside or add anything to it. 16 Now the promises were spoken to Abraham and to his descendant. Scripture does not say, "and to the descendants," referring to many, but "and to your descendant," referring to one, who is Christ. 17 What I am saying is this: The law that came 430 years later does not cancel a covenant previously ratified by God, so as to invalidate the promise. 18 For if the inheritance is based on the law, it is no longer based on the promise, but God graciously gave it to Abraham through the promise.

3 Westcott-Hort Greek NT

19 Τί οὖν ὁ νόμος; τῶν παραβάσεων χάριν προσετέθη, ἄχρις ἂν
ἔλθῃ τὸ σπέρμα ᾧ ἐπήγγελται, διαταγεὶς δι' ἄγγελων ἐν χειρὶ
μεσίτου.
20 ὁ δὲ μεσίτης ἑνὸς οὐκ ἔστιν, ὁ δὲ θεὸς εἷς ἐστιν.
21 ὁ οὖν νόμος κατὰ τῶν ἐπαγγελιῶν [τοῦ θεοῦ]; μὴ γένοιτο, εἰ
γὰρ ἐδόθη νόμος ὁ δυνάμενος ζῳοποιῆσαι, ὄντως ἐν νόμω ἂν
ἦν ἡ δικαιοσύνη.
22 ἀλλὰ συνέκλεισεν ἡ γραφὴ τὰ πάντα ὑπὸ ἁμαρτίαν, ἵνα ἡ
ἐπαγγελία ἐκ πίστεως Ἰησοῦ Χριστοῦ δοθῇ τοῖς πιστεύουσιν.

맛싸성경

19 그러므로 율법은 무엇이냐? 위반을 위하여 추가된 것이다. 씨가 오기까지 그분에게 약속된 것이니, 천사들을 통하여 중재자의 손으로 명령되어진 것이다. 20 그러나 중재자는 한 사람을 위한 것이 아니니, 그러나 하나님은 한분이시다. 21 그러면 율법이 하나님의 약속들을 대항하느냐? 결코 그렇지 않다. 그러므로 만일 율법이 살리도록 능력이 주어졌다면, 확실히 의는 율법으로부터 있었을 것이다. 22 그러나 성경이 모든 자들을 죄 아래에 가두었고, 그래서 예수 그리스도의 믿음으로부터 (난) 약속이 믿는 자들에게 주어지도록 하려 함이다.

NET

19 Why then was the law given? It was added because of transgressions, until the arrival of the descendant to whom the promise had been made. It was administered through angels by an intermediary. 20 Now an intermediary is not for one party alone, but God is one. 21 Is the law therefore opposed to the promises of God? Absolutely not! For if a law had been given that was able to give life, then righteousness would certainly have come by the law. 22 But the scripture imprisoned everything under sin so that the promise could be given—because of the faithfulness of Jesus Christ—to those who believe.

3 Westcott-Hort Greek NT

23 Πρὸ τοῦ δὲ ἐλθεῖν τὴν πίστιν ὑπὸ νόμον ἐφρουρούμεθα
συγκλειόμενοι εἰς τὴν μέλλουσαν πίστιν ἀποκαλυφθῆναι,
24 ὥστε ὁ νόμος παιδαγωγὸς ἡμῶν γέγονεν εἰς Χριστόν, ἵνα ἐκ
πίστεως δικαιωθῶμεν,
25 ἐλθούσης δὲ τῆς πίστεως οὐκέτι ὑπὸ παιδαγωγόν ἐσμεν.
26 Πάντες γὰρ υἱοὶ θεοῦ ἐστε διὰ τῆς πίστεως ἐν Χριστῷ Ἰησοῦ·
27 ὅσοι γὰρ εἰς Χριστὸν ἐβαπτίσθητε, Χριστὸν ἐνεδύσασθε.
28 οὐκ ἔνι Ἰουδαῖος οὐδὲ Ἕλλην, οὐκ ἔνι δοῦλος οὐδὲ
ἐλεύθερος, οὐκ ἔνι ἄρσεν καὶ θῆλυ· πάντες γὰρ ὑμεῖς εἷς ἐστε ἐν
Χριστῷ Ἰησοῦ.
29 εἰ δὲ ὑμεῖς Χριστοῦ, ἄρα τοῦ Ἀβραὰμ σπέρμα ἐστέ, κατ'
ἐπαγγελίαν κληρονόμοι.

맛싸성경

23 그러나 믿음이 오기 전에 우리는 율법아래에 갇혀 져 있었고 곧 나타나질 믿음을 위하여 갇혀진 것이다. **24** 그래서 율법은 우리를 그리스도께로 (인도하는) 초등교사가 되었고, 그래서 믿음으로부터 우리는 의롭다 함을 얻게 한다. **25** 그러나 믿음이 오고 난 이후에는 더 이상 우리는 초등교사 아래에 있지 않다. **26** 이러므로 우리 모두는 예수 그리스도 안에서 믿음을 통하여 하나님의 아들들이니 **27** 이러므로 그리스도로 세례를 받은 자들 모두는 그리스도를 (옷) 입으라. **28** 유대인이나, 헬라인이 있지 않으며, 종이나, 자유자도 있지 않으며, 남성이나, 여성도 있지 않다. 그러므로 너희는 예수 그리스도 안에서 모두 하나가 되었다. **29** 그러나 만일 너희가 그리스도의 것이면(속하였으면) 그러면 너희는 아브라함의 씨이며, 약속을 따라서 상속자이다.

NET

23 Now before faith came we were held in custody under the law, being kept as prisoners until the coming faith would be revealed. **24** Thus the law had become our guardian until Christ, so that we could be declared righteous by faith. **25** But now that faith has come, we are no longer under a guardian. **26** For in Christ Jesus you are all sons of God through faith. **27** For all of you who were baptized into Christ have clothed yourselves with Christ. **28** There is neither Jew nor Greek, there is neither slave nor free, there is neither male nor female—for all of you are one in Christ Jesus. **29** And if you belong to Christ, then you are Abraham's descendants, heirs according to the promise.

4 Westcott-Hort Greek NT

1 Λέγω δὲ ἐφ' ὅσον χρόνον ὁ κληρονόμος νήπιός ἐστιν, οὐδὲν
διαφέρει δούλου κύριος πάντων ὤν,
2 ἀλλὰ ὑπὸ ἐπιτρόπους ἐστὶν καὶ οἰκονόμους ἄχρι τῆς
προθεσμίας τοῦ πατρός.
3 οὕτως καὶ ἡμεῖς, ὅτε ἦμεν νήπιοι ὑπὸ τὰ στοιχεῖα τοῦ κόσμου
ἤμεθα δεδουλωμένοι·
4 ὅτε δὲ ἦλθεν τὸ πλήρωμα τοῦ χρόνου ἐξαπέστειλεν ὁ θεὸς τὸν
υἱὸν αὐτοῦ, γενόμενον ἐκ γυναῖκος, γενόμενον ὑπὸ νόμον,
5 ἵνα τοὺς ὑπὸ νόμον ἐξαγοράσῃ ἵνα τὴν υἱοθεσίαν
ἀπολάβωμεν.

맛싸성경

1 그러나 내가 말하니 상속자가 아이인 시간까지는 모
든 것의 주인도 종의 모습과 어떤 것도 다르지 않으
나, 2 그러나 아버지의 정한 날까지는 후견인들과 관
리인들 아래에 있으니, 3 이같이 우리도, 우리가 아이
일 때는 세상의 초보원리들의 아래에서 종살이 하였
다. 4 그러나 때의 충만함 오니, 하나님께서 그분의 아
들을 보내셨고 여자로부터 나게 되고, 율법 아래에서
나게 되어, 5 그래서 율법 아래에 있는 자들을 구속하
셔서 우리를 양자로 영접해 주셨다.

NET

1 Now I mean that the heir, as long as he is a minor,
is no different from a slave, though he is the owner
of everything. 2 But he is under guardians and
managers until the date set by his father. 3 So also
we, when we were minors, were enslaved under the
basic forces of the world. 4 But when the appropriate
time had come, God sent out his Son, born of a
woman, born under the law, 5 to redeem those who
were under the law, so that we may be adopted as
sons with full rights.

4 Westcott-Hort Greek NT

6 Ὅτι δὲ ἐστε υἱοὶ ἐξαπέστειλεν ὁ θεὸς τὸ πνεῦμα τοῦ υἱοῦ αὐτοῦ
εἰς τὰς καρδίας ἡμῶν κρᾶζον· ἀββα ὁ πατήρ.
7 ὥστε οὐκέτι εἶ δοῦλος ἀλλὰ υἱός· εἰ δὲ υἱὸς, καὶ κληρονόμος διὰ
θεοῦ.

맛싸성경

6 그러나 너희는 아들들이므로, 하나님께서는 그분의 아들의 영을 보내셨고 너희 마음으로, 아빠, 아버지라 고 부르짖었다. **7** 그러므로 더 이상 너희는 종이 아니고, 오히려 아들이라. 또 만일 아들이면, 그리스도를 통하여 하나님의 상속자이다.

NET

6 And because you are sons, God sent the Spirit of his Son into our hearts, who calls "Abba! Father!" **7** So you are no longer a slave but a son, and if you are a son, then you are also an heir through God.

4 Westcott-Hort Greek NT

8 Ἀλλὰ τότε μὲν οὐκ εἰδότες θεὸν ἐδουλεύσατε τοῖς φύσει μὴ
οὖσιν θεοῖς·
9 νῦν δὲ γνόντες θεόν, μᾶλλον δὲ γνωσθέντες ὑπὸ θεοῦ, πῶς
ἐπιστρέφετε πάλιν ἐπὶ τὰ ἀσθενῆ καὶ πτωχὰ στοιχεῖα οἷς πάλιν
ἄνωθεν δουλεῦσαι θέλετε;.
10 ἡμέρας παρατηρεῖσθε καὶ μῆνας καὶ καιροὺς καὶ ἐνιαυτούς,
11 φοβοῦμαι ὑμᾶς μή πως εἰκῇ κεκοπίακα εἰς ὑμᾶς.
12 Γίνεσθε ὡς ἐγώ, ὅτι κἀγὼ ὡς ὑμεῖς, ἀδελφοί, δέομαι ὑμῶν.
οὐδέν με ἠδικήσατε·

맛싸성경

8 그러나 너희가 하나님을 알지 못했을 때 너희는 본질상 신들이 아닌 자들에게 종살이하였다. 9 그러나 이제는 하나님을 알고 더욱 하나님에 의해서 아신 바 되어졌는데, 어떻게 다시 약하고, 비참한 초보원리들로 돌아서서, 다시 종살이하기를 원하느냐? 10 날들과 그리고 달들과, 그리고 절기들과, 그리고 해들을 너희가 관습으로 지키니 11 어떠하든지 너희를 위하여 수고해온 것이 허사가 될까 나는 너희에 대해서 두려워한다. 12 형제들아, 내가 간청하니, 내가 너희 같이 된 것 같이 너희도 나 같이 되어라. 이는 너희가 아무도 나에게 잘못하지 않았기 때문이다.

NET

8 Formerly when you did not know God, you were enslaved to beings that by nature are not gods at all. 9 But now that you have come to know God (or rather to be known by God), how can you turn back again to the weak and worthless basic forces? Do you want to be enslaved to them all over again? 10 You are observing religious days and months and seasons and years. 11 I fear for you that my work for you may have been in vain. 12 I beg you, brothers and sisters, become like me, because I have become like you. You have done me no wrong!

4 Westcott-Hort Greek NT

13 οἴδατε δὲ ὅτι δι' ἀσθένειαν τῆς σαρκὸς εὐηγγελισάμην ὑμῖν
τὸ πρότερον,
14 καὶ τὸν πειρασμὸν ὑμῶν ἐν τῇ σαρκί μου οὐκ ἐξουθενήσατε
οὐδὲ ἐξεπτύσατε, ἀλλὰ ὡς ἄγγελον θεοῦ ἐδέξασθέ με, ὡς
Χριστὸν Ἰησοῦν.
15 ποῦ οὖν ὁ μακαρισμὸς ὑμῶν, μαρτυρῶ γὰρ ὑμῖν ὅτι εἰ
δυνατὸν τοὺς ὀφθαλμοὺς ὑμῶν ἐξορύξαντες ἐδώκατέ μοι.
16 ὥστε ἐχθρὸς ὑμῶν γέγονα ἀληθεύων ὑμῖν;.

맛싸성경

13 그러나 너희가 아는 바 같이 육체의 약함 때문에,
내가 너희에게 전에 복음을 전하였다. 14 그리고 내
육체에서도 나의 시험을 너희가 무시하지 않았고, 싫
어하지도 않았으며, 오히려 하나님의 천사 같이 (또)
예수 그리스도 같이 나를 받아 주었으니, 15 그러므
로 너희 복이 어디에 있느냐? 이는 너희를 위해 증거
하니, 만일 가능하면, 우리 눈들을 뽑아서 나에게 주
었을 것이다. 16 그래서 내가 너희에게 진리를 말함
으로 그래서 너희 대적(원수)이 되었느냐?

NET

13 But you know it was because of a physical illness
that I first proclaimed the gospel to you, 14 and
though my physical condition put you to the test, you
did not despise or reject me. Instead, you welcomed
me as though I were an angel of God, as though I
were Christ Jesus himself! 15 Where then is your
sense of happiness now? For I testify about you that
if it were possible, you would have pulled out your
eyes and given them to me! 16 So then, have I
become your enemy by telling you the truth?

4 Westcott-Hort Greek NT

17 ζηλοῦσιν ὑμᾶς οὐ καλῶς, ἀλλὰ ἐκκλεῖσαι ὑμᾶς θέλουσιν, ἵνα
αὐτοὺς ζηλοῦτε·
18 καλὸν δὲ ζηλοῦσθαι ἐν καλῷ πάντοτε καὶ μὴ μόνον ἐν τῷ
παρεῖναι με πρὸς ὑμᾶς.
19 τεκνία μου, οὓς πάλιν ὠδίνω μέχρις οὗ μορφωθῇ Χριστὸς ἐν
ὑμῖν·
20 ἤθελον δὲ παρεῖναι πρὸς ὑμᾶς ἄρτι καὶ ἀλλάξαι τὴν φώνην
μου, ὅτι ἀποροῦμαι ἐν ὑμῖν.

맛싸성경

17 그들이 열심을 내는 것이 좋은 것이 아니고, 그러나 너희를 배제하려고 그들이 원하니 그래서 너희는 그들에게 열심을 내게 된다. **18** 그러나 좋은 일에 너희가 열정을 내는 것은 항상 좋은 것이나, 단지 내가 너희와 함께 내가 있을 때 만이 아니다. **19** 내 자녀들아, 그리스도가 너희 안에서 형성되어질 때까지, 다시 해산의 고통을 하니, **20** 그러나 나는 너희와 지금 함께 하기를 원하며, 또 내 음성을 바꾸기를 원하니, 너희로 혼란스럽기 때문이다.

NET

17 They court you eagerly, but for no good purpose; they want to exclude you, so that you would seek them eagerly. **18** However, it is good to be sought eagerly for a good purpose at all times, and not only when I am present with you. **19** My children—I am again undergoing birth pains until Christ is formed in you! **20** I wish I could be with you now and change my tone of voice, because I am perplexed about you.

4 Westcott-Hort Greek NT

21 Λέγετε μοι, οἱ ὑπὸ νόμον θέλοντες εἶναι, τὸν νόμον οὐκ
ἀκούετε;.
22 γέγραπται γὰρ ὅτι Ἀβραὰμ δύο υἱοὺς ἔσχεν, ἕνα ἐκ τῆς
παιδίσκης καὶ ἕνα ἐκ τῆς ἐλευθέρας.
23 ἀλλ' ὁ [μὲν] ἐκ τῆς παιδίσκης κατὰ σάρκα γεγέννηται, ὁ δὲ ἐκ
τῆς ἐλεύθερας δι' ἐπαγγελίας.
24 ἅτινα ἐστιν ἀλληγορούμενα αὐταὶ γάρ εἰσιν δύο διαθῆκαι,
μία μὲν ἀπὸ ὄρους Σινᾶ εἰς δουλείαν γεννῶσα, ἥτις ἐστιν Ἀγάρ.
25 τὸ δὲ Ἀγὰρ Σινᾶ ὄρος ἐστιν ἐν τῇ Ἀραβίᾳ· συστοιχεῖ δὲ τῇ νῦν
Ἰερουσαλήμ, δουλεύει γὰρ μετὰ τῶν τέκνων αὐτῆς.
26 ἡ δὲ ἄνω Ἰερουσαλὴμ ἐλευθέρα ἐστιν, ἥτις ἐστιν μήτηρ ἡμῶν·

맛싸성경

21 너희는 내게 말하라. 율법 아래 있기를 원하는 자들, 너희는 율법을 듣지 않았느냐? **22** 이러므로 이것이 기록되었으니, 아브라함은 두 아들을 가졌는데, 하나는 여종으로부터, 그리고 하나는 자유인 여자로부터 (태어난 자)였다. **23** 그러나 육체를 따라서 난 여종으로부터 난 자, 그러나 자유인 여자로부터 약속을 통하여 난 자이다. **24** 이것들은 알레고리(풍유)이니, 이는 이 여자들은 두 가지 언약들이다. 하나는 시내산에서부터 종을 낳은 자니, 곧 하갈이다. **25** 그러나 시내산의 하갈은 아라비아에 있었다. 현재 예루살렘에 상응하는 곳이니 그 여자의 자녀들과 함께 종살이하고 있으며 **26** 그러나 위에 있는 예루살렘은 자유인 여자이니, 그 여자는 우리 어머니이다.

NET

21 Tell me, you who want to be under the law, do you not understand the law? **22** For it is written that Abraham had two sons, one by the slave woman and the other by the free woman. **23** But one, the son by the slave woman, was born by natural descent, while the other, the son by the free woman, was born through the promise. **24** These things may be treated as an allegory, for these women represent two covenants. One is from Mount Sinai bearing children for slavery; this is Hagar. **25** Now Hagar represents Mount Sinai in Arabia and corresponds to the present Jerusalem, for she is in slavery with her children. **26** But the Jerusalem above is free, and she is our mother.

4 Westcott-Hort Greek NT

27 γέγραπται γάρ· εὐφράνθητι, στεῖρα ἡ οὐ τίκτουσα, ῥῆξον καὶ
βόησον, ἡ οὐκ ὠδίνουσα· ὅτι πολλὰ τὰ τέκνα τῆς ἐρήμου μᾶλλον
ἢ τῆς ἐχούσης τὸν ἄνδρα.
28 ἡμεῖς δέ, ἀδελφοί, κατὰ Ἰσαὰκ ἐπαγγελίας τέκνα ἐσμέν.
29 ἀλλ' ὥσπερ τότε ὁ κατὰ σάρκα γεννηθεὶς ἐδίωκεν τὸν κατὰ
πνεῦμα, οὕτως καὶ νῦν.
30 ἀλλὰ τί λέγει ἡ γραφή; ἔκβαλε τὴν παιδίσκην καὶ τὸν υἱὸν
αὐτῆς· οὐ γὰρ μὴ κληρονομήσει ὁ υἱὸς τῆς παιδίσκης μετὰ τοῦ
υἱοῦ τῆς ἐλευθέρας.
31 διό, ἀδελφοί, οὐκ ἐσμὲν παιδίσκης τέκνα ἀλλὰ τῆς
ἐλευθέρας.

맛싸성경

27 이러므로 기록되었으니, 너희는 기뻐하여라, 출산하지 못한 불임한 여자여! 소리 지르고, 그리고 외쳐라, 산고를 못하는 자여! 버림받은 자의 자녀들이 남편을 가진 자 보다 더 많기 때문이다. 28 그러니 너희 형제들아, 이삭을 따른 우리는 약속의 자녀들이다. 29 그러나 그때에 육체를 따라서 난 자가 영을 따른 자를 박해한 것 같으니, 그리고 지금도 이러하다. 30 그러나 성경이 무엇을 말하고 있느냐? 여종과 그 여자의 아들을 너는 쫓아내라! 이같이 여종의 아들은 자유인 여자의 아들과 함께 결코 상속하지 못할 것이기 때문이다. 31 이러므로 형제들아, 우리는 여종의 자녀들이 아니라, 자유인 여자의 (자녀들이다).

NET

27 For it is written: "Rejoice, O barren woman who does not bear children; break forth and shout, you who have no birth pains, because the children of the desolate woman are more numerous than those of the woman who has a husband." 28 But you, brothers and sisters, are children of the promise like Isaac. 29 But just as at that time the one born by natural descent persecuted the one born according to the Spirit, so it is now. 30 But what does the scripture say? "Throw out the slave woman and her son, for the son of the slave woman will not share the inheritance with the son" of the free woman. 31 Therefore, brothers and sisters, we are not children of the slave woman but of the free woman.

5 Westcott-Hort Greek NT

1 Τῇ ἐλευθερίᾳ ἡμᾶς Χριστὸς ἠλευθέρωσεν· στήκετε οὖν καὶ μὴ πάλιν ζυγῷ δουλείας ἐνέχεσθε.

2 Ἴδε ἐγὼ Παῦλος λέγω ὑμῖν ὅτι ἐὰν περιτέμνησθε, Χριστὸς ὑμᾶς οὐδὲν ὠφελήσει.

3 μαρτύρομαι δὲ πάλιν παντὶ ἀνθρώπῳ περιτεμνομένῳ ὅτι ὀφειλέτης ἐστὶν ὅλον τὸν νόμον ποιῆσαι.

4 κατηργήθητε ἀπὸ Χριστοῦ, οἵτινες ἐν νόμῳ δικαιοῦσθε, τῆς χάριτος ἐξεπέσατε.

5 ἡμεῖς γὰρ πνεύματι ἐκ πίστεως ἐλπίδα δικαιοσύνης ἀπεκδεχόμεθα.

6 ἐν γὰρ Χριστῷ [Ἰησοῦ] οὔτε περιτομή τι ἰσχύει οὔτε ἀκροβυστία ἀλλὰ πίστις δι' ἀγάπης ἐνεργουμένη.

맛싸성경

1 그러므로 그리스도께서 우리에게 자유로 자유하게
하셨으니 너희는 서서 다시는 종살이의 멍에를 메지
마라. 2 보아라! 나 바울이 너희에게 말하니 만일 너
희가 할례를 받으면, 그리스도께서 너희에게 어떤 유
익도 없을 것이다. 3 그러나 내가 다시 할례 받는 모
든 사람에게 증거하니 그는 모든 율법을 행하여야 할
의무를 가진 자이다. 4 누구든지 율법 안에서 의로워
지려고 하는 자, 너희는 그리스도로부터 상관없는 자
가 되었고, 은혜로(부터) 끊어진 자가 되었다. 5 이러
므로 우리는 믿음으로부터 성령으로 의의 소망을 간
절히 기다리니 6 이는 예수 그리스도 안에서는 할례
나 무할례도 어떤 의미도 없으나, 그러나 사랑을 통해
서 역사하는 믿음(뿐)이다.

NET

1 For freedom Christ has set us free. Stand firm,
then, and do not be subject again to the yoke of
slavery. 2 Listen! I, Paul, tell you that if you let
yourselves be circumcised, Christ will be of no
benefit to you at all! 3 And I testify again to every
man who lets himself be circumcised that he is
obligated to obey the whole law. 4 You who are
trying to be declared righteous by the law have
been alienated from Christ; you have fallen away
from grace! 5 For through the Spirit, by faith, we
wait expectantly for the hope of righteousness. 6
For in Christ Jesus neither circumcision nor
uncircumcision carries any weight—the only thing
that matters is faith working through love.

5 Westcott-Hort Greek NT

7 Ἐτρέχετε καλῶς· τίς ὑμᾶς ἐνέκοψεν ἀληθείᾳ μὴ πείθεσθαι;.
8 ἡ πεισμονὴ οὐκ ἐκ τοῦ καλοῦντος ὑμᾶς.
9 μικρὰ ζύμη ὅλον τὸ φύραμα ζυμοῖ.
10 ἐγὼ πέποιθα εἰς ὑμᾶς ἐν κυρίῳ ὅτι οὐδὲν ἄλλο φρονήσετε· ὁ
δὲ ταράσσων ὑμᾶς βαστάσει τὸ κρίμα, ὅστις ἐὰν ᾖ.
11 Ἐγὼ δέ, ἀδελφοί, εἰ περιτομὴν ἔτι κηρύσσω, τί ἔτι διώκομαι;
ἄρα κατήργηται τὸ σκάνδαλον τοῦ σταυροῦ.
12 Ὄφελον καὶ ἀποκόψονται οἱ ἀναστατοῦντες ὑμᾶς.

맛싸성경

7 너희가 잘 달려갔으나, 누가 너희를 진리에서 방해
하여 따르지 않게 하였느냐? 8 이 설득은 너희를 부르
신 자로부터가 아니다. 9 적은 효모가 반죽 전체를 발
효시킨다. 10 나는 주 안에서 너희를 위하여 확신하
니, 너희가 아무도 생각을 하지 않을 것이다. 그러나
너희에게 괴롭히는 자는 그가 누구이든지, 심판을 감
당해야 할 것이다. 11 그러나 형제들아, 내가 만일 아
직 할례를 전파하였다면, 누가 아직 박해하겠는가? 그
러면 십자가 걸림돌로 제거되었을 것이다. 12 또한 너
희를 혼란하게 하는 자도 그렇게 잘려지기를 나도 원
한다.

NET

7 You were running well; who prevented you from
obeying the truth? 8 This persuasion does not come
from the one who calls you! 9 A little yeast makes the
whole batch of dough rise! 10 I am confident in the
Lord that you will accept no other view. But the one
who is confusing you will pay the penalty, whoever
he may be. 11 Now, brothers and sisters, if I am still
preaching circumcision, why am I still being
persecuted? In that case the offense of the cross has
been removed. 12 I wish those agitators would go so
far as to castrate themselves!

5 Westcott-Hort Greek NT

13 ὑμεῖς γὰρ ἐπ' ἐλευθερίᾳ ἐκλήθητε, ἀδελφοί, μόνον μὴ τὴν
ἐλευθερίαν εἰς ἀφορμὴν τῇ σαρκί, ἀλλὰ διὰ τῆς ἀγάπης
δουλεύετε ἀλλήλοις.
14 ὁ γὰρ πᾶς νόμος ἐν ἑνὶ λόγῳ πεπλήρωται ἐν τῷ ἀγαπήσεις
τὸν πλησίον σου ὡς σεαυτόν.
15 εἰ δὲ ἀλλήλους δάκνετε καὶ κατεσθίετε, βλέπετε μὴ ὑπ'
ἀλλήλων ἀναλωθῆτε.
16 Λέγω δὲ πνεύματι περιπατεῖτε καὶ ἐπιθυμίαν σαρκὸς οὐ μὴ
τελέσητε.
17 ἡ γὰρ σὰρξ ἐπιθυμεῖ κατὰ τοῦ πνεύματος, τὸ δὲ πνεῦμα κατὰ
τῆς σάρκος, ταῦτα γὰρ ἀλλήλοις ἀντίκειται, ἵνα μὴ ἃ ἐὰν θέλητε
ταῦτα ποιῆτε.

맛싸성경

13 이러므로 너희 형제들아, 자유로 부르심을 입었으니 너희는 단지 육체의 기회를 위한 자유가 아니라, 오히려 사랑을 통하여 서로 섬겨라. 14 이는 모든 율법은 한 말씀으로 성취되어지나니, '네 자신 같이 너는 네 이웃을 사랑할 것이라'는 이것이다. 15 그러나 너희가 서로 물어뜯고, 삼키면 서로 멸망하지 않도록 조심하라. 16 그러나 내가 말하니, 너희는 성령으로 걸어라. 그러면 너희는 육체의 욕망을 실행하지 않을 것이다. 17 이는 육체는 성령에 대항하여 원하고, 그러나 성령은 육체를 대항하여 (원하니), 그러나 이들은 서로 대립하여, 그리하여 너희가 원하고자 하는 것을 행하지 않도록 하게 하려 함이다.

NET

13 For you were called to freedom, brothers and sisters; only do not use your freedom as an opportunity to indulge your flesh, but through love serve one another. 14 For the whole law can be summed up in a single commandment, namely, "You must love your neighbor as yourself." 15 However, if you continually bite and devour one another, beware that you are not consumed by one another. 16 But I say, live by the Spirit and you will not carry out the desires of the flesh. 17 For the flesh has desires that are opposed to the Spirit, and the Spirit has desires that are opposed to the flesh, for these are in opposition to each other, so that you cannot do what you want.

5 Westcott-Hort Greek NT

18 εἰ δὲ πνεύματι ἄγεσθε, οὐκ ἐστε ὑπὸ νόμον.
19 φανερὰ δέ ἐστιν τὰ ἔργα τῆς σαρκός, ἅτινά ἐστιν πορνεία,
ἀκαθαρσία ἀσέλγεια,
20 εἰδωλολατρία, φαρμακεία, ἔχθραι, ἔρις, ζῆλος θυμοί,
ἐριθεῖαι, διχοστασίαι, αἱρέσεις,
21 φθόνοι, μέθαι, κῶμοι καὶ τὰ ὅμοια τούτοις, ἃ προλέγω ὑμῖν,
καθὼς προεῖπον ὅτι οἱ τὰ τοιαῦτα πράσσοντες βασιλείαν θεοῦ
οὐ κληρονομήσουσιν.

맛싸성경

18 그러나 너희가 만일 성령으로 인도함 받아지면, 너희는 율법 아래에 있지 않다. 19 그러나 육체의 행위들은 명백하다. 이것들은 간음, 음행, 부도덕, 방탕, 20 우상숭배, 주술, 미움, 싸움, 질투, 분노, 이기적 욕망, 분쟁, 분리(혹 '이단') 21 시기, 살인, 술 취함, 흥청망청과 이같은 것들이니, 너희에게 미리 말하니, 이 같은 것들을 실행하는 자들은 하나님의 왕국을 유산으로 받지 못할 것이다.

NET

18 But if you are led by the Spirit, you are not under the law. **19** Now the works of the flesh are obvious: sexual immorality, impurity, depravity, **20** idolatry, sorcery, hostilities, strife, jealousy, outbursts of anger, selfish rivalries, dissensions, factions, **21** envying, murder, drunkenness, carousing, and similar things. I am warning you, as I had warned you before: Those who practice such things will not inherit the kingdom of God!

5 Westcott-Hort Greek NT

22 ὁ δὲ καρπὸς τοῦ πνεύματος ἐστιν ἀγάπη χαρὰ εἰρήνη,
μακροθυμία χρηστότης ἀγαθωσύνη, πίστις.
23 πραΰτης ἐγκράτεια· κατὰ τῶν τοιούτων οὐκ ἔστιν νόμος.
24 οἱ δὲ τοῦ Χριστοῦ Ἰησοῦ τὴν σάρκα ἐσταύρωσαν σὺν τοῖς
παθήμασιν καὶ ταῖς ἐπιθυμίαις.
25 Εἰ ζῶμεν πνεύματι, πνεύματι καὶ στοιχῶμεν.
26 μὴ γινώμεθα κενόδοξοι, ἀλλήλους προκαλούμενοι, ἀλλήλοις
φθονοῦντες.

맛싸성경

22 그러나 성령(님)의 열매는 사랑, 기쁨, 평안, 인내, 호의, 선함, 믿음, 23 겸손, 자제이다. 이같은 것들을 대항하는 것은 율법에는 없다. 24 그러나 그리스도의 (속한) 자들은 그 육체를 고난들과 욕망들을 함께 (십자가에) 못 박았다. 25 만일 우리가 성령으로 살면, 우리는 성령으로 따라가야 한다. 26 우리는 허풍떨지 말아서, 서로 자극하지 말고, 서로 시기하지 마라.

NET

22 But the fruit of the Spirit is love, joy, peace, patience, kindness, goodness, faithfulness, 23 gentleness, and self-control. Against such things there is no law. 24 Now those who belong to Christ have crucified the flesh with its passions and desires. 25 If we live by the Spirit, let us also behave in accordance with the Spirit. 26 Let us not become conceited, provoking one another, being jealous of one another.

6 Westcott-Hort Greek NT

1 Ἀδελφοί, ἐὰν καὶ προλημφθῇ ἄνθρωπος ἔν τινι παραπτώματι,
ὑμεῖς οἱ πνευματικοὶ καταρτίζετε τὸν τοιοῦτον ἐν πνεύματι
πραΰτητος, σκοπῶν σεαυτὸν μὴ καὶ σὺ πειρασθῇς.
2 Ἀλλήλων τὰ βάρη βαστάζετε καὶ οὕτως ἀναπληρώσατε τὸν
νόμον τοῦ Χριστοῦ.
3 εἰ γὰρ δοκεῖ τις εἶναί τι μηδὲν ὤν φρεναπατᾷ ἑαυτόν.
4 τὸ δὲ ἔργον ἑαυτοῦ δοκιμαζέτω [ἕκαστος] καὶ τότε εἰς ἑαυτὸν
μόνον τὸ καύχημα ἕξει καὶ οὐκ εἰς τὸν ἕτερον·
5 ἕκαστος γὰρ τὸ ἴδιον φορτίον βαστάσει.

맛싸성경

1 형제들아, 만일 또 사람이 어떤 범죄로 드러나거든, 영적인 너희는 겸손한 영으로 이것을 교정하고, 네 자신을 돌아보고, 유혹받지 않도록 하라. 2 서로 다른 사람의 짐을 지고, 그래서 이같이 그리스도의 율법을 성취하라. 3 이러므로 만일 어떤 사람이 무엇이 되었다고 그가 생각하는데, 그가 되지 않았으면, 그는 자신을 속이는 것이다. 4 그러나 각자 자신의 일을 살피라. 그러면 그 때 자신에게만 그는 자랑거리를 가질 것이며, 다른 사람에게서가 아니다. 5 그러니 각자 자신의 짐을 질 것이라.

NET

1 Brothers and sisters, if a person is discovered in some sin, you who are spiritual restore such a person in a spirit of gentleness. Pay close attention to yourselves, so that you are not tempted too. 2 Carry one another's burdens, and in this way you will fulfill the law of Christ. 3 For if anyone thinks he is something when he is nothing, he deceives himself. 4 Let each one examine his own work. Then he can take pride in himself and not compare himself with someone else. 5 For each one will carry his own load.

6 Κοινωνείτω δὲ ὁ κατηχούμενος τὸν λόγον τῷ κατηχοῦντι ἐν
πᾶσιν ἀγαθοῖς.
7 μὴ πλανᾶσθε, θεὸς οὐ μυκτηρίζεται. ὁ γὰρ ἐὰν σπείρῃ
ἄνθρωπος τοῦτο καὶ θερίσει·
8 ὅτι ὁ σπείρων εἰς τὴν σάρκα ἑαυτοῦ ἐκ τῆς σαρκὸς θερίσει
φθοράν, ὁ δὲ σπείρων εἰς τὸ πνεῦμα ἐκ τοῦ πνεύματος θερίσει
ζωὴν αἰώνιον.
9 τὸ δὲ καλὸν ποιοῦντες μὴ ἐγκακῶμεν, καιρῷ γὰρ ἰδίῳ
θερίσομεν μὴ ἐκλυόμενοι.
10 Ἄρα οὖν ὡς καιρὸν ἔχωμεν, ἐργαζώμεθα τὸ ἀγαθὸν πρὸς
πάντας, μάλιστα δὲ πρὸς τοὺς οἰκείους τῆς πίστεως.

맛싸성경

6 그러나 말씀을 가르침 받는 자는 가르치는 자들과
함께 모든 좋은 것들을 나누어라. 7 너희는 속임 당하
지 마라. 하나님은 무시당하지 않으신다. 이러므로 만
일 사람이 무엇으로 심으면, 그는 그것을 거둘 것이
다. 8 자신의 육체를 위하여 심는 자는 육체로부터 그
는 썩을 것을 거둘 것이나, 그러나 영을 위해서 영적
인 것을 심는 자는 영으로부터 영원한 생명을 거둘 것
이다. 9 그러나 우리가 좋은 일을 행하면서 낙심하지
말아야 할 것이니, 이는 자신의 기회가 되면, 우리는
거둘 것이니, 우리는 지치지 말아야 한다. 10 그러므
로 우리는 기회를 가질 때, 우리는 선한 일을 너희 모
두에게 행하여야 할 것이다. 그러나 특별히 믿음의 집
안들에게 (해야 할 것이다).

NET

6 Now the one who receives instruction in the word must share all good things with the one who teaches it. 7 Do not be deceived. God will not be made a fool. For a person will reap what he sows, 8 because the person who sows to his own flesh will reap corruption from the flesh, but the one who sows to the Spirit will reap eternal life from the Spirit. 9 So we must not grow weary in doing good, for in due time we will reap, if we do not give up. 10 So then, whenever we have an opportunity, let us do good to all people, and especially to those who belong to the family of faith.

6 Westcott-Hort Greek NT

11 ἴδετε πηλίκοις ὑμῖν γράμμασιν ἔγραψα τῇ ἐμῇ χειρί.
12 Ὅσοι θέλουσιν εὐπροσωπῆσαι ἐν σαρκί, οὗτοι ἀναγκάζουσιν
ὑμᾶς περιτέμνεσθαι, μόνον ἵνα τῷ σταυρῷ τοῦ Χριστοῦ [Ἰησοῦ]
μὴ διώκωνται.
13 οὐδὲ γὰρ οἱ περιτεμνόμενοι αὐτοὶ νόμον φυλάσσουσιν, ἀλλὰ
θέλουσιν ὑμᾶς περιτέμνεσθαι ἵνα ἐν τῇ ὑμετέρᾳ σαρκὶ
καυχήσωνται.

맛싸성경

11 내 손으로 얼마나 큰 글자를 너희에게 쓴 것을 너희는 보아라! 12 육체로 좋은 모습을 보이게 하려고 하는 자들, 이들은 너희에게 할례를 행하려고 강요하는 자이니, 단지 그리스도의 십자가로 그들은 박해를 받지 않으려고 한다. 13 이러므로 할례를 행한 어떤 자들, 그들도 율법을 지키지 않으니, 오히려 너희로 할례만 받기를 원하여, 그래서 너희 육체에서 자랑하게 하려 함이다.

NET

11 See what big letters I make as I write to you with my own hand! 12 Those who want to make a good showing in external matters are trying to force you to be circumcised. They do so only to avoid being persecuted for the cross of Christ. 13 For those who are circumcised do not obey the law themselves, but they want you to be circumcised so that they can boast about your flesh.

6 Westcott-Hort Greek NT

14 Ἐμοὶ δὲ μὴ γένοιτο καυχᾶσθαι εἰ μὴ ἐν τῷ σταυρῷ τοῦ κυρίου
ἡμῶν Ἰησοῦ Χριστοῦ δι' οὗ ἐμοὶ κόσμος ἐσταύρωται κἀγὼ
κόσμῳ.
15 οὔτε γὰρ περιτομή τί ἐστιν οὔτε ἀκροβυστία ἀλλὰ καινὴ
κτίσις.
16 καὶ ὅσοι τῷ κανόνι τούτῳ στοιχήσουσιν, εἰρήνη ἐπ' αὐτοὺς
καὶ ἔλεος καὶ ἐπὶ τὸν Ἰσραὴλ τοῦ θεοῦ.
17 Τοῦ λοιποῦ κόπους μοι μηδεὶς παρεχέτω· ἐγὼ γὰρ τὰ
στίγματα τοῦ Ἰησοῦ ἐν τῷ σώματι μου βαστάζω.
18 Ἡ χάρις τοῦ κυρίου [ἡμῶν] Ἰησου Χριστοῦ μετὰ τοῦ
πνεύματος ὑμῶν, ἀδελφοί· ἀμήν.

맛싸성경

14 그러나 내게는 자랑할 것이 없으니, 우리 주님 예수 그리스도의 십자가뿐이라. 그분을 통하여 내가 세상이 내게 못 박혔고, 또한 나도 세상에 그러하다(못 박혔다). 15 이러므로 예수 그리스도 안에서, 할례도 어떤 의미도 없고, 무할례도 아니지만, 그러나 오직 새 피조물 뿐이다. 16 그리고 이 규례대로 따르는 자들과 하나님의 이스라엘에게, 평안과 긍휼함이 그들에게 (있을지어다). 17 이제부터 아무도 나에게(를) 괴로움을 가져다주지 말게 마라. 이러므로 나는 내 몸에서 예수 그리스도의 흔적들을 짊어지고 있다. 18 형제들아! 우리 주님 예수 그리스도의 은혜가 너희 영과 함께 (있을지어다) 아멘.

NET

14 But may I never boast except in the cross of our Lord Jesus Christ, through which the world has been crucified to me, and I to the world. 15 For neither circumcision nor uncircumcision counts for anything; the only thing that matters is a new creation! 16 And all who will behave in accordance with this rule, peace and mercy be on them, and on the Israel of God. 17 From now on let no one cause me trouble, for I bear the marks of Jesus on my body. 18 The grace of our Lord Jesus Christ be with your spirit, brothers and sisters. Amen.

COVENANT UNIVERSITY
Fulfilling the unfulfilled task through equipping missional servant leaders for Christ

목회자를 위한 설교학 석,박사 통합 과정 소개

1. 수업 진행

1) 월간 맛싸 31-33호를 듣기
2) 각권에 따라 원하는 본문을 원문에 근거하여 설교문을 작성하고 먼저 제출하기
3) 먼저 제출된 설교문을 컨설팅하고 완성된 설교문으로 설교하는 동영상(30분)을 촬영하여 제출하기

2. 수강 과목

1) 월간 맛싸 31호 13학점

(1) 요나(1-9회차) 2학점 - 설교 2편 작성 제출
(2) 요엘(10-21회차) 2학점 - 설교 2편 작성 제출
(3) 학개(22-28회차) 2학점 - 설교 2편 작성 제출
(4) 말라기(29-38회차) 2학점 - 설교 2편 작성 제출
(5) 오바다(39-41회차) 1학점 - 설교 1편 작성 제출
(6) 하박국(42-51회차) 2학점 - 설교 2편 작성 제출
(7) 스바냐(52-61회차) 2학점 - 설교 2편 작성 제출

2) 맛싸 32호 13학점

(1) 시편 119편(1-22회차) 2학점 - 설교 2편 작성 제출
(2) 시편 120-134편(올라가는 노래)(23-38회차) 6학점 - 설교 6편 작성 제출
(3) 시편 135-150편(39-61회차) 5학점 - 설교 5편 작성 제출

3) 맛싸 33호 13학점

(1) 룻기 (1-13회) 3학점 - 설교 3편 작성 제출
(2) 에스더 (14-48회) 3학점 - 설교 3편 작성 제출
(3) 시편 101-106편(49-62회) 3학점 - 설교 3편 작성 제출
(4) 신약 자유 본문(월간맛싸QT 내용중) 4학점 - 설교 4편 작성 제출

4) 논문 6학점 혹은 신약 자유 본문 6학점

(1) 논문 작성시 - 6학점
(2) 신약 자유 본문(월간맛싸QT 내용중) 6학점 - 설교 6편 작성 제출

3. 학비

2023년 가을학기 (8/28-12/9일까지 15주)
입학자격-학사 및 목회학 석사(Mdiv) 이상 졸업자(M.A 졸업자는 가능)
신학 석사(ThM) 45학점; 박사(DTh) 54학점; 석박사 통합 39+54=93학점
한학기 15학점; 석사 190만원; 박사 286만원
이번학기 송금처 언약성경연구소(Covenant Bible Institution)
농협 355-4696-1189-93 공식구좌

왕초보 히브리어/헬라어 펜습자

알파벳 따라쓰기

저자 – 허동보

수현교회 담임목사
AP부모교육 국제지도자
왕초보 히브리어/헬라어 성경읽기 강사
Covenant University, CA. 통합과정 중

히브리어/헬라어, 어렵지 않습니다.
단지 익숙하지 않을 뿐입니다.

모든 언어는 문법보다 더욱 중요한 것이 있습니다. 바로 읽고 쓰는 것입니다.

기본에 충실합니다.

이 책은 단순합니다. 다른 알파벳 교재와 달리 읽고 쓰는 것에만 집중했습니다. 쓰는 순서, 자음과 모음의 발음, 읽는 방법 등 정말 기본적이고 기초적인 것에 집중을 했습니다.

남녀노소 누구나 할 수 있습니다.

모든 언어는 왕도가 없습니다. 처음에 말과 글을 배울 때 복잡한 문법부터 공부하는 사람은 없습니다. 이 책은 어린이, 청소년을 비롯하여 히브리어/헬라어에 관심만 있다면 모든 연령이 쉽게 배울 수 있도록 집필되었습니다.

다양한 미디어로 공부가 가능합니다.

책 속에는 노트가 더 필요한 분들이 직접 인쇄할 수있도록 QR코드를 제공하고 있습니다. 히브리어 알파벳송은 따라부를 수 있도록 영상 QR코드를 제공합니다. 그 외 다양한 미디어 학습을 체험하실 수있습니다.

월간 맛싸의 발전과 함께 하실 동역자님을 모십니다.

✓ 평생이사: 월10만원 혹은 연200만원 일시불 / 후원이사: 연10만원

✓ 후원특전: 월간 맛싸와 언약성경연구소 발행 신간을 보내 드리며,
세미나와 본사 발전회의에 초대됩니다.

✓ 후원계좌: 농협 302-1258-5603-71 (예금주: LEE HAKJAE)

✓ 정기구독: 1년 6회 90,000원 / 2년 12회: 150,000원

✓ 정기구독 문의 및 안내: 070-4126-3496

정기구독신청서

20　　년　　월　　일

<table>
<tr><td rowspan="7">신청인</td><td colspan="2">이름</td><td></td><td>생년월일</td><td colspan="3"></td></tr>
<tr><td colspan="2" rowspan="2">주소</td><td colspan="5"></td></tr>
<tr><td colspan="5"></td></tr>
<tr><td rowspan="3">전화</td><td>자택</td><td>(　) -</td><td>출석교회</td><td colspan="3"></td></tr>
<tr><td>회사</td><td>(　) -</td><td>직분</td><td colspan="3">담임목사 / 목사 / 전도사 / 장로 / 권사 / 집사</td></tr>
<tr><td>핸드폰</td><td>(　) -</td><td>E-mail</td><td colspan="3">@</td></tr>
<tr><td colspan="7"></td></tr>
<tr><td rowspan="4">수취인</td><td colspan="2">이름</td><td colspan="5"></td></tr>
<tr><td colspan="2" rowspan="2">주소</td><td colspan="5"></td></tr>
<tr><td colspan="5"></td></tr>
<tr><td colspan="2">전화(자택)</td><td></td><td>회사</td><td></td><td>핸드폰</td><td></td></tr>
<tr><td rowspan="3">신청내용</td><td colspan="2">신청기간</td><td colspan="5">20　년　월 ~ 20　년　월</td></tr>
<tr><td colspan="2">구독기간</td><td colspan="5">☐ 1년　　☐ 2년　　☐ 3년</td></tr>
<tr><td colspan="2">신청부수</td><td colspan="5">부</td></tr>
<tr><td rowspan="7">결제방법</td><td colspan="2" rowspan="3">카드</td><td colspan="5">· 카드종류: 국민, 비씨, 신한, 삼성, 롯데, 현대, 농협, 씨티, VISA, Master, JCB</td></tr>
<tr><td colspan="5">· 카드번호:　　-　　-　　-　　· 유효기간:　/</td></tr>
<tr><td colspan="5">· 소유주:　　　　· 일시불/할부　개월</td></tr>
<tr><td colspan="2" rowspan="3">온라인</td><td colspan="5"></td></tr>
<tr><td colspan="5"></td></tr>
<tr><td colspan="5"></td></tr>
<tr><td colspan="2">자동이체</td><td colspan="5">CMS</td></tr>
<tr><td>메모</td><td colspan="7"></td></tr>
</table>

정기구독 문의 및 안내 070-4126-3496

월간 맛사